Anna Onichimowska

Wieczorynki
z kotem Miśkiem

ilustrowała Iwona Cała

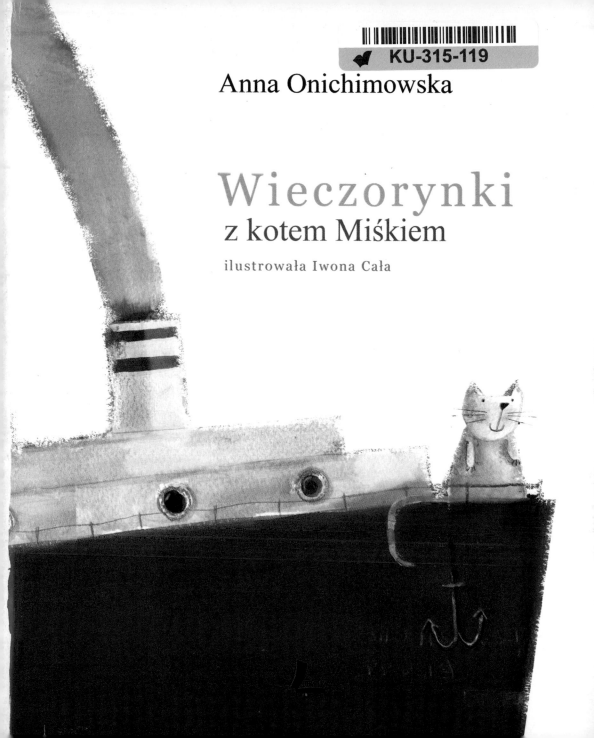

Anna Onichimowska
Wieczorynki z kotem Miśkiem

© by Anna Onichimowska
© by Wydawnictwo Literatura

Okładka i ilustracje:
Iwona Cała

Korekta:
Lidia Kowalczyk, Joanna Pijewska

Wydanie I
w Wydawnictwie Literatura

ISBN 978-83-7672-101-9

Wydawnictwo **Literatura**, Łódź 2011
90-731 Łódź, ul. Wólczańska 19
handlowy@wyd-literatura.com.pl
tel. (42) 630 23 81
faks (42) 632 30 24
www.wyd-literatura.com.pl

Guzik

Kot Misiek lubił przechadzać się po dachach. Wybierał zwykle takie, które niezbyt szybko się kończyły i nie były tak strome, aby po nich łazić na czubeczkach łapek.

Obchodził dookoła kominy, wysokie i niskie, grube i cienkie, zawsze z prawej strony, bo obchodzenie z lewej przynosi kotom nieszczęście.

Pewnego wieczoru spotkał Guzik. Był okrągły i trochę wyłupiasty. Leżał, wpatrując się w Miśka uważnie wszystkimi czterema dziurkami.

– Pobawisz się ze mną? – spytał kota, a ten się zgodził.

Bawienie się z Guzikiem przypominało nieco zabawy z myszką. Guzik równie szybko uciekał, a nawet dawał się podrzucać, czego myszki zdecydowanie nie lubiły. Trochę się poganiali i pobawili w chowanego, a potem kot zwinął się w kłębek, a obok jego łapki przysiadł Guzik.

Ledwie Misiek zamknął ślepka, przyśniła mu się ruda koteczka. Miała czarną plamkę koło nosa i złote oczy.

– Chciałbym ją kiedyś spotkać – mruknął i opowiedział Guzikowi swój sen.

– Jutro przyjdzie tu Kominiarz – usłyszał. – Urwałem mu się dziś po południu… Jak tylko go zobaczysz, ściśnij mnie w łapce i wypowiedz życzenie.

Nie wiedziałem, że guziki do tego służą – pomyślał Misiek.

– Wrócisz do Kominiarza? – spytał.

– To będzie zależało od niego – odparł Guzik.

Było już ciemno. Niebo migotało gwiazdami. Kilka z nich spadło wprost do komina, lecz kot nie wiedział, że spadające gwiazdy też spełniają życzenia.

Tej nocy miał złote sny. Od guzików, gwiazd, a może od ślepek rudej koteczki?

Kominiarz

Od rana Misiek rozglądał się za Kominiarzem. Niewiele osób chodziło po dachach, a więc trudno go było przegapić.

– Jak on wygląda? – spytał jednak na wszelki wypadek.

– Wysoki, chudy, ubrany na czarno. Ma zawsze przy sobie drabinę – wyjaśnił Guzik. – Kiedy już wypowiesz życzenie, puść mnie od razu – poprosił, a Misiek pokiwał ogonem na znak zgody.

Próbowali się bawić jak poprzedniego wieczoru, ale nie szło im zbyt dobrze. Czekali na Kominiarza.

Najpierw zobaczyli długi cień, a potem, w ślad za nim, pojawił się chudzielec z drabiną. Misiek nie spuszczał z niego wzroku, ściskając jednocześnie Guzik. Pomyślał o rudej koteczce z czarną plamką koło nosa. Ledwie podniósł łapkę, Guzik potoczył się szybko pod nogi mężczyzny, a ten uśmiechnął się i schował go do kieszeni. Dopiero wtedy zauważył Miśka.

– O, kot… – powiedział zdziwiony.

– O, Kominiarz… – odrzekł uprzejmie Misiek. – Czekałem na ciebie od rana.

– Dlaczego? – Brwi chudzielca podjechały do góry.

Kot opowiedział mu w skrócie co i jak, a Kominiarz pokręcił głową.

– Nic z tego, przyjacielu. Musisz najpierw spotkać kominiarza, potem złapać za guzik, potem pomyśleć życzenie, a jeszcze potem zobaczyć trzy osoby w okularach. Póki ich nie ujrzysz, nie wolno ci puścić guzika.

Misiek się zmartwił. Mogli powtórzyć co prawda wszystko od początku, lecz zanim pojawiłyby się na dachu trzy osoby w okularach, mogło minąć nawet parę lat, a tak długo kot nie zamierzał czekać w żadnym wypadku.

– Możemy popatrzeć na ulicę z góry… – Kominiarz wyraźnie chciał mu pomóc. – Ale stąd nie widać, czy ktoś nosi okulary, czy nie. Zejść nie mogę, bo jestem teraz w pracy. – Sięgnął po komórkę i gdzieś zadzwonił. – Załatwione – oznajmił po chwili z dumą. – Wkrótce się tu zjawi mój Kuzyn, Marynarz, z lornetką. Właśnie zawinęli do portu.

Kuzyn z lornetką

Marynarz nie przypominał Kominiarza ani z ubrania, ani z niczego innego. Byli tak niepodobni, jak tylko kuzyni być potrafią.

— Za chwilę odpływa mój następny statek, mam dla was tylko dziesięć minut — powiedział.

— Na pewno przez dziesięć minut wypatrzysz trzy osoby w okularach... — uspokoił Miśka Kominiarz, wręczając mu Guzik i lornetkę.

Kot ścisnął go w łapce, pomyślał o koteczce i przyłożył do ślepek lornetkę, podczas gdy kuzyni przysiedli na kominie, rozmawiając o rodzinnych sprawach.

Ulica o tej porze była dość wyludniona. Przejechał rowerzysta w czapce z daszkiem, więc z góry nie było widać, czy miał okulary, potem pojawiła się pani z wózkiem i staruszka z torbą na zakupy, kilkoro dzieci w wieku szkolnym i pan w garniturze. Wszyscy bez okularów.

– To niesamowite, jaki dobry wzrok mają ludzie w tej okolicy… – miauknął Misiek, gdy Kuzyn popatrzył znacząco na zegarek.

– Zamiast siedzieć na dachu i przyciskać mnie łapą, zacznij jej szukać – zirytował się Guzik.

– Kogo? – zainteresował się Kuzyn, zabierając Miśkowi lornetkę.

– Koteczki – przyznał Misiek i opisał ją, jak mógł najdokładniej.

– Widziałem podobną w porcie w Pernambuko – oznajmił Marynarz. – Właśnie tam płyniemy. Jeśli chcesz, mogę cię przemycić na pokład.

Misiek chciał. Pożegnał się spiesznie z Kominiarzem i Guzikiem, a potem pełen nadziei ruszył za Kuzynem.

Statek

Od kiedy Misiek znalazł się na statku, miał wrażenie, że już go widział. Pamiętał łodzie ratunkowe i duży komin, i rumianego kucharza w wysokiej czapce. To było we śnie – przypomniał sobie.

Morze nie podobało mu się nic a nic. Pokład wciąż uciekał spod łapek, czuł, że ma ich dwa, a nawet trzy razy tyle, co zwykle, tak mu się plątały.

– Tobie jest łatwiej – próbował przekonywać Kuzyna – bo jesteś dwunożny. Może ci się w najgorszym wypadku wydawać, że masz cztery nogi, a nie jak ja – osiem.

– Ja jestem wilkiem morskim, a ty szczurem lądowym, to jedyny powód – śmiał się Kuzyn.

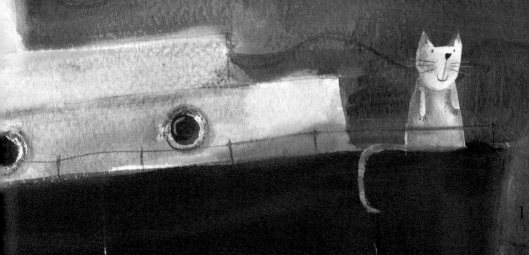

– Nie nazywaj mnie szczurem! Przenigdy! – zdenerwował się Misiek, a Kuzyn przysiągł, że więcej tego nie zrobi.

Obecność kota na pokładzie przestała wkrótce być tajemnicą. Po kilkudniowym śledztwie, z którego wynikało niezbicie, że nie ma w tej sprawie winnych, postawiono Miśkowi dwie miseczki, a kucharz pilnował, aby nie były puste. Spać mógł, gdzie mu się podobało.

Swoje upodobanie do dachów przeniósł na bocianie gniazdo, do którego fale nie miały dostępu. Czasami zastępował w gnieździe niechętnych do wspinaczek marynarzy.

Pewnego świtu, myjąc po nocy futerko, zobaczył na horyzoncie dziwny lej. Kielichem skierowany ku niebu, tańczył po wodzie na cienkiej nodze.

– Lej na horyzoncie! – oznajmił i natychmiast wszyscy przybiegli na pokład.

– To trąba powietrzna – powiedział Kapitan. – Ponieważ nie mamy wpływu na to, czy nas porwie, czy nie, proponuję wrócić do przerwanych czynności.

Kot Misiek zdążył więc umyć się kompletnie, zanim poczuł, że trąba podnosi statek i niesie z olbrzymim pośpiechem w nieznane.

Trąba

Bociane gniazdo Miśka wystawało tuż ponad trąbę, mógł więc nie tylko obserwować, dokąd zmierzają, ale również udzielać informacji marynarzom, a ci z kolei – innym porwanym przez trąbę. Na samym jej dnie stał strach na wróble – dobrze że miał jedną nogę, bo druga z pewnością by się nie zmieściła.

Trąba, mknąc po falach jak wyścigowe ferrari, wirowała jednocześnie jak bąk.

– Zupełnie jak na karuzeli – entuzjazmował się Kuzyn.

– Bez biletów wstępu – cieszył się Kapitan.

Kot Misiek, nie bywając do tej pory w wesołym miasteczku, nabierał właśnie przekonania, że postępował właściwie.

– Czy nie mogłabyś przestać się kręcić? – spytał trąbę, a ta odtrąbiła donośnie:

– Nie mogłabym!!!

– To chociaż pokręć się w przeciwną stronę! – miauknął Misiek.

– Okej – zgodziła się trąba.

– Poproś ją, żeby nam coś zagrała! – Dobiegł głos Kuzyna i zanim Misiek zdążył się odezwać, rozbrzmiał Armstrong w najczystszym wykonaniu.

Po trzech kawałkach marynarze zaczęli narzekać na repertuar.

– Tego już za wiele – rozzłościła się trąba. – Za karę zaraz was wysadzę.

I ledwie Misiek krzyknął: „Ląd na horyzoncie!", trąba wytrąbiła statek na piaszczystą plażę.

– Czy to już Pernambuko? – spytał niepewnie kot, ale odpowiedziała mu jedynie oddalająca się muzyka szlagieru *Jaki piękny świat*.

Przez pewien czas siedział
jeszcze w bocianim gnieździe, patrząc na załogę, wirującą po pias-
kach, a potem rozejrzał się dookoła.
Wokół piaszczystej plaży przewa-
lały się morskie fale, z czego szybko wydedukował, że są na wyspie.
W samym jej środku widać było
niewielkie, okrągłe jeziorko.

Na ryby

— Idę na ryby — oznajmił kot Misiek, jednak nikt nie wydawał się tym zainteresowany. Tym lepiej — pomyślał, skradając się w stronę jeziorka. — Wszystkie będą dla mnie.

Na brzegu wylegiwało się kilka tłustych krokodyli. Każdy z nich miał jedno oko zamknięte i jedno otwarte.

— Cześć! — miauknął Misiek, a wtedy otworzyły się wszystkie pozostałe oczy. — Posuńcie się trochę.

Krokodyle popatrzyły po sobie, a potem ziewnęły, pokazując swoje liczne i ostre zęby.

— Widzę, że macie dobre chęci… — sierść kota Miśka stanęła dęba — ale właśnie się rozmyśliłem…

Jeden z krokodyli odwrócił się ku niemu, kłapiąc paszczą.

— Powinieneś wybrać się do dentysty… — Misiek nie przestawał mówić, wycofując się spiesznie. — Masz zepsute obydwa trzonowe.

Krokodyl ruszył ku niemu.

– Nie ma pośpiechu. Możesz iść jutro. Zresztą, tak naprawdę nie znam się na tym… – miauknął Misiek, próbując rzucić się do ucieczki.

Nie mógł jednak ruszyć żadną z łap. Wzrok krokodyla hipnotyzował go, wielka paszcza z ostrymi zębami była coraz bliżej…

Żegnaj, koteczko nieodnaleziona – pomyślał Misiek, zaciskając ślepka. I nagle poczuł ostry podmuch wiatru, który wprawił jego zesztywniałe mięśnie w ruch. Spróbował otworzyć oczy, jednak od razu zasypywał je piach. Wyglądało to tak, jakby wszystkie drobinki piasku na wyspie postanowiły jednocześnie zmienić miejsce. Kot sadził na oślep długimi susami, byle dalej od łakomych paszczy i oślizgłych grzbietów.

I kto wie, jak długo by pędził, gdyby nie walnął nosem w szałas, przed którym siedział na wpół przysypany przez piasek mężczyzna, z przylepionymi tu i ówdzie piórami, i palił fajkę.

19

Czarownik

– Dzień dobry… – sapnął kot, otrząsając futerko z piachu. Wiatr ustał i powietrze powoli odzyskiwało swoją przejrzystość. – Jestem Misiek.

– A ja Czarownik. – Na dowód, że nie kłamie, mężczyzna zamienił szybko fajkę w pelikana, a potem westchnął: – Mówi się trudno. I tak zamierzałem rzucić palenie.

– Czy to jest może Pernambuko? – spytał Misiek, rozglądając się niepewnie dookoła.

Nie dostrzegł na szczęście krokodyli, jedynie kolejne szałasy i piasek.

– W żadnym wypadku – potrząsnął piórami Czarownik. – Ale możesz sprawdzić odległość na drogowskazie. Za ostatnim szałasem w prawo… – Machnął ręką, podczas gdy wiatr przemieszczał znów piasek w odwrotnym kierunku. – Zaraz z tym zrobię porządek – dobiegł go głos Czarownika.

.87.² Biegun północny →

Pernambuko 11952 km

HULA-BULA 1384 km

Misiek nie zastanawiał się za bardzo, o co Czarownikowi chodzi. Stał, wpatrzony w wielgachny słup, obwieszony gęsto drogowskazami we wszystkich możliwych kierunkach. Były wśród nich nawet prowadzące w głąb ziemi i prosto w chmury.

Warszawa 48261 km

NEW YORK 543 km →

Różowe

21

Burza piaskowa ucichła jak ręką odjął. Pojedyncze drobinki piasku wirowały jeszcze niepewne, gdzie przysiąść.

„Pernambuko" – odnalazł wreszcie właściwy drogowskaz.
„14 562 kilometry".

– Wygląda na to, że nieźle zboczyliśmy z trasy – Misiek oblizał się nerwowo. – Muszę
porozmawiać z Kapitanem. Nie ma
pan, panie Czarowniku, przypadkiem komórki? Chciał-
bym zadzwonić – zwrócił
się uprzejmie w stronę,
gdzie ostatnio prze-
bywał jego nowy
znajomy.

Odpowiedziała mu cisza.

Top Modelka

Misiek zajrzał do wszystkich szałasów dwa razy z rzędu, ale nie spotkał w żadnym żywego ducha.

– Panie Czarowniku!!! – zamiauczał. – Nie bawimy się w chowanego!

– On się w to nie umie bawić – skrzeknęło coś za jego plecami. – Nigdy mnie nie znalazł. Nawet nie próbował! A teraz uciekł!!!

Kot odwrócił się gwałtownie i zobaczył najbrzydszą osobę, jaką widział w życiu. Pokryty brodawkami nos zwisał jej do kolan, głowę porastała zielona szczecina, a paznokci nie obcinała chyba nigdy.

– Daleko nie ucieknie! – machnął łapą. – Pewnie osoba zauważyła, że to jest wyspa.

– Co ja teraz zrobię? – Tajemnicza postać zdawała się go nie słuchać. – Byłam kiedyś top modelką, wyobrażasz sobie?

– Nie – przyznał Misiek.

– Czarownik porwał mnie z wybiegu podczas pokazu kostiumów kąpielowych w Paryżu. Poślubił mnie znienacka, a potem z zazdrości zrobił to, co widzisz. Mówił, że jemu to nie przeszkadza, bo wciąż pamięta, jaka kiedyś byłam. W końcu zmienił zdanie, ale zapomniał zaklęcia, nie wiedział, jak mnie odczarować. A teraz skorzystał z okazji i zwiał. Statkiem.

– Nie!!! – krzyknął przerażony Misiek i rzucił się w stronę brzegu. Niemożliwe, żeby mnie tu zostawili, Kuzyn by do tego nie dopuścił – myślał w panice.

Nie było teraz ani śladu wiatru, powietrze stało, gorące i nieruchome. Na plaży po niedawnej obecności załogi zostały tylko ślady licznych stóp i torebka z napisem „Wafelki cytrynowe".

Kot Misiek, biegając wzdłuż brzegu, znalazł jeszcze dwie muszelki i butelkę po soku marchewkowym. Serce zabiło mu mocniej. To musiał być znak! Kuzyn pijał sok nałogowo, od rana do wieczora. Zajrzał z nadzieją do środka i wyciągnął z butelki kartkę, lekko zabrudzoną resztkami marchewki.

Plany na przyszłość

Misiek rozwinął drżącymi z emocji łapkami lepki papier.

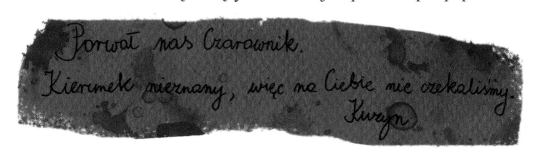

Porwał nas Czarownik.
Kierunek nieznany, więc na Ciebie nie czekaliśmy.
Kuzyn

– Sam nie wiem, czy mam teraz szukać koteczki, czy Kuzyna… – zwierzył się Misiek Modelce.

Potrzebował z kimś się naradzić, a oprócz niej i krokodyli nikogo na wyspie nie było.

– A masz pomysł jak? Gdybyś chciał dostać się do Pernambuko, ponad czternaście tysięcy kilometrów wpław, nawet przy dobrej pogodzie to spory dystans. Kuzyn z moim mężem odpłynęli w nieznane. To może być bliżej albo dalej…

– Nie jest głupia – westchnął Misiek. – I w dodatku była piękna… – Spróbował ją sobie wyobrazić w kostiumie kąpielowym, ale widok był przerażający. – Właściwie do Kuzyna, poza pozdrowieniami, nie mam interesu… – głośno myślał, kiedy Modelka sięgnęła do jednego z szałasów, wyciągając worek piór.

– Tylko to mi po nim zostało – westchnęła. Miśkowi przypomniał się Czarownik, oblepiony tu i ówdzie pierzem. – Są twoje.

Kot chrząknął z zakłopotaniem.

– Przylep je sobie i leć szukać Czarownika. Jeśli wydusisz z niego zaklęcie, dzięki któremu odzyskam urodę, wystartuję w konkursie piękności, zostanę Miss Świata i dostanę mnóstwo pieniędzy. Polecisz wtedy do Pernambuko klasą biznes!

– Z powrotem poproszę dwa bilety, dla mnie i dla koteczki! – powiedział Misiek z naciskiem.

– Niech będzie – zgodziła się Modelka, a potem pomogła Miśkowi stać się latającym kotem.

Wieloryb

Z góry wysepka wydawała się jeszcze mniejsza, niż była w istocie. Misiek szybował z rozpostartymi szeroko łapkami po błękitnym niebie, żegnając wzrokiem samotną postać, machającą mu na pożegnanie. Wkrótce wyspa była już tylko dalekim punkcikiem, a pod spodem rozpościerało się bezkresne morze.

– Mam nadzieję, że pióra są dobrze przylepione – westchnął z nadzieją kot, wypatrując na horyzoncie porwanego statku. – Warto by zasięgnąć jakiegoś języka… – Nie spotkał na razie żywego ducha i czuł się coraz bardziej samotnie.

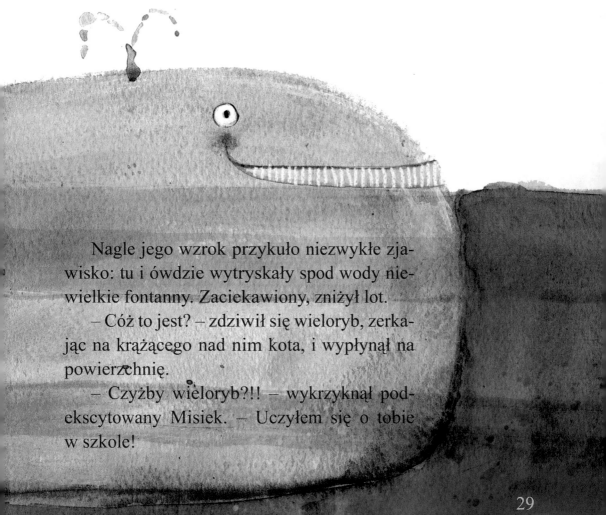

Nagle jego wzrok przykuło niezwykłe zjawisko: tu i ówdzie wytryskały spod wody niewielkie fontanny. Zaciekawiony, zniżył lot.

– Cóż to jest? – zdziwił się wieloryb, zerkając na krążącego nad nim kota, i wypłynął na powierzchnię.

– Czyżby wieloryb?!! – wykrzyknął podekscytowany Misiek. – Uczyłem się o tobie w szkole!

– Ja o tobie nie... Przynajmniej nie pamiętam... – zabulgotał wieloryb.

Musiał mieć złe stopnie – pomyślał Misiek.

– Kot – przedstawił się, machając nerwowo łapkami. Nie wiedział, czy jego nowy znajomy byłby zadowolony, gdyby wylądował mu na grzbiecie.

Wieloryb zmarszczył się cały z wysiłku, starając przypomnieć sobie, co wie o kotach. „Mają futro, łapy i polują..." – wygrzebał z czeluści pamięci. Nie słyszał o kotach latających, ale czasami nie uważał na lekcji i wstydził się do tego przyznać.

– Chcesz mnie upolować? – spytał, nie wiedząc, czy ma zniknąć teraz, czy dopiero za chwilę.

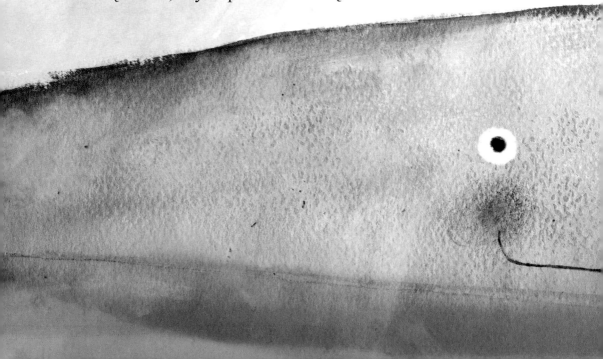

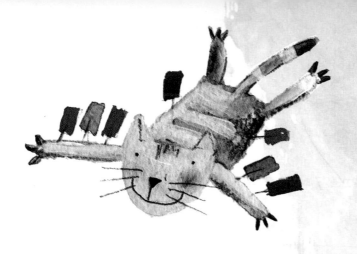

– Nie – Misiek potrząsnął łebkiem. – Chcę zapytać, czy nie widziałeś statku z Kuzynem i Czarownikiem na pokładzie... – Po czym opisał mu statek najdokładniej, jak umiał.

Wieloryb widział dwa podobne statki, zmierzające w dokładnie przeciwnych kierunkach, a Misiek postanowił frunąć za tym, który płynął ku Pernambuko.

– Uważaj po drodze na okręty wojskowe i piratów. Strzelają do wszystkiego, co się rusza... – ostrzegł go na pożegnanie wieloryb i zanurzył się spiesznie. Jego czujne ucho wyłowiło właśnie charakterystyczny odgłos zbliżającej się łodzi podwodnej.

Łódź podwodna

– Panie Kapitanie! Niezidentyfikowany obiekt latający! – zameldował jeden z marynarzy.

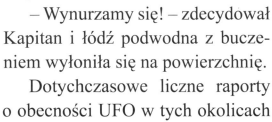

– Wynurzamy się! – zdecydował Kapitan i łódź podwodna z buczeniem wyłoniła się na powierzchnię.

Dotychczasowe liczne raporty o obecności UFO w tych okolicach Kapitan traktował z przymrużeniem oka, jednak tajemniczy obiekt, przelatujący nad nimi, nie przypominał mu niczego, z czym do tej pory miał do czynienia.

– Próba nawiązania łączności! – rozkazał.

Kot Misiek przyglądał się z ciekawością temu, co działo się pod spodem.

Bardzo pouczająca podróż – myślał, oglądając łódź.

– Nie reaguje na żadne fale. Jakby nie miało przy sobie nadajników… – zgłosił marynarz. – Co robimy, Kapitanie?

– Próbujemy przechwycić. Zalecam najwyższe środki ostrożności. I proszę zawiadomić bazę…

32

Misiek poczuł nagle, że kręci mu się w głowie. Zamachał łapkami, chcąc wzbić się wyżej, ale pierwsza wydawała mu się cięższa od drugiej, druga od trzeciej, a trzecia od czwartej.

Ciążyć zaczęły mu również powieki, a wkrótce każdy włosek sierści był jak z ołowiu. Żegnaj, koteczko nieodnaleziona – zdążył jeszcze pomyśleć, zanim zapadł w sen.

— Wygląda jak zmutowany Mruczek… – chrząknął niepewnie Kapitan, wpatrując się w śpiącego Miśka. – Skrzyżowanie kota z łabędziem. Zagadka przyrodnicza…

— Co zgłaszamy bazie?

— Alarm odwołany. Sami się nim zajmiemy.

Łódź zanurzyła się ponownie. Marynarze wrócili do swoich zajęć, a Kapitan zasiadł przed monitorem, pragnąc odnaleźć w internecie obiekty podobne do przechwyconego.

Sen Miśka

Miśkowi śniło się, że leży w dziwnym pomieszczeniu. Jego ściany błyszczały od lampek i tykały od zegarów, każdy z nich jednak wskazywał inną godzinę.

Przed komputerem, odwrócony do niego tyłem, siedział mężczyzna i stukał w klawisze. Trudno powiedzieć, ile czasu tak siedział: na jednym zegarze minęło dziesięć minut, na drugim cztery godziny.

Misiek próbował się obudzić, ale im bardziej próbował, tym głębiej zanurzał się w sen. A może to tylko łódź się zanurzała… nie wiadomo.

– Co pan pisze? – udało mu się zapytać.

Mężczyzna podskoczył ze strachu tak wysoko, aż grzmotnął głową w sufit.

– Ojej… – jęknął, rozcierając guza. – Ty mówisz po naszemu?

Misiek nie wiedział, co na to odpowiedzieć.

Szkoda, że nie mogę otworzyć oczu – myślał. Powieki wciąż zasłaniały mu pole widzenia ciężką zasłoną.

– Napiłbym się mleka… – mruknął.

Ostatni raz pił mleko na pokładzie całkiem innego statku i było to bardzo dawno temu.

UFO mówi po naszemu i pija mleko

– zapisał szybko Kapitan, aby nie zapomnieć, a potem spytał drżącym głosem:

– Jeszcze coś?

Należy kuć żelazo, póki gorące – pomyślał Misiek, zamawiając drobno krojoną polędwicę, filety z dorsza i wątróbkę. Był porządnie głodny.

Śniło mu się, że dostaje wszystkie przysmaki w metalowych miseczkach, a kiedy zostają w nich tylko nędzne resztki, syty i szczęśliwy wskakuje na kolana Kapitana.

UFO lubi sypiać na kolanach i mruczy przez sen

– uzupełnił Kapitan swoje zapiski, głaszcząc niepewnie mocno zmierzwione kocie pióra.

35

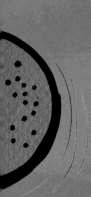

Kropka Kapitana

Każdy sen ma swój koniec. Gdy Misiek poczuł znów lekkość w łapach, łebku, ogonie, a nawet piórach, wyprężył grzbiet i oznajmił:

– Proszę mnie stąd wypuścić!

Kapitan był w kropce. Z jednej strony pojęcia nie miał, co dalej począć z przechwyconym obiektem, z drugiej wydawało mu się, że informacje, które zebrał na jego temat, są wciąż zbyt skąpe.

– Za pół godziny – obiecał.

Kot zeskoczył z kolan Kapitana i zbliżył się do zegarów. Posuwały się każdy w swoim tempie, jak w jego śnie.

– W jakim celu obiekt latał nad naszą łodzią? – spytał Kapitan.

– Zaspokojenia ciekawości – przyznał Misiek. – Lecę do Pernambuko. Nie widział pan może, Kapitanie, statku z Kuzynem i Czarownikiem?

— Do Pernambuko?!! – wykrzyknął Kapitan. – Nie może być!

— Może – potwierdził kot, dojadł z miseczek resztki i zamiauczał znacząco.

— Już się robi – mruknął Kapitan, wydał odpowiednie polecenie kucharzowi i rozłożył mapę. – Jesteśmy tu... – pokazał Miśkowi punkcik na niebieskim tle. – A Pernambuko... – przejechał palcem aż na kraniec mapy i ciężko westchnął. – Sam bym chętnie tam popłynął – szepnął, żeby go nikt z załogi nie usłyszał. – Powody osobiste... – mrugnął do Miśka, pokazując na zdjęcie uśmiechniętej czarnulki, przylepione nad monitorem. – Musiałbym jednak znacznie zboczyć z trasy...

— Pół godziny minęło – oznajmił kot, kończąc śniadanie. – Pozdrowię pańską narzeczoną... – Oblizał zmierzwione pióra. – Jak się stąd wychodzi? Chciałbym uniknąć zamoczenia.

Jestem w kropce – pomyślał Kapitan nie po raz pierwszy tego ranka. A potem zerknął na mapę, czarnulkę i niezidentyfikowany obiekt. – To jest znak z góry – westchnął ponownie i powziął decyzję.

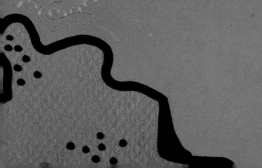

Zaklęcia

Pamięć Czarownika była dziurawa jak sito. Zapomniał większości zaklęć, a cóż to za Czarownik, który nie umie czarować? Kiedy odwiedził go kot, pytając o drogę do Pernambuko, otworzyła mu się w głowie dawno nieotwierana klapka. To właśnie tam zgubił *Księgę Czarów*!

– Pampele, bambele, mops… – mamrotał, pędząc w stronę statku. – Pampele, bambele, mops! – wykrzyknął do załogi, a ona posłusznie wsiadła na pokład.

– Mopsiki, klopsiki, drops! – popisał się kolejnym zaklęciem, zmniejszając wszystkich do lilipucich rozmiarów.

W ten sposób nie będą wyjadać za dużo zapasów – cieszył się. Załoga nie była mu potrzebna, ponieważ dzięki czarowi: „Poduchy, pampuchy, klops!" statek sam sunął po morzu wprost w pożądanym kierunku.

Poza tymi trzema zaklęciami pamiętał tylko dwa inne, a żadne z nich nie było w stanie wrócić urody Top Modelce.

– Ona myśli, że jestem złośliwy, a ja tymczasem po prostu mam sklerozę! – zwierzał się załodze, którą zgromadził przed sobą na stole. Byli wielkości kieliszków od jajek.

– Mam nadzieję, że kiedy dobijemy do celu podróży, wrócisz nam normalny wzrost? – spytał odważnie Kuzyn.

– Też mam nadzieję… – westchnął Czarownik. – Wszystko zależy od *Księgi*. Czy uda się ją odnaleźć, czy nie.

Podrobił malutkim marynarzom trochę chleba i sera, a sam poszedł usmażyć sobie jajecznicę z ośmiu jaj.

Ciuciubabka
i bierki

Kapitan łodzi podwodnej miał pociąg do hazardu. Załoga wiedziała o tym nie od dzisiaj i mało kto dawał się namówić na grę.

– Zagrajmy w bierki… – zaproponował Miśkowi, kiedy już oswoił się z jego niezwykłym wyglądem.

Kotu nudziło się w zamknięciu, więc wszelkie propozycje rozrywek przyjmował z entuzjazmem.

– Tropimy piratów – wyjaśnił Kapitan, rozrzucając patyczki – a oni nas. Nam jest łatwiej, bo jesteśmy pod wodą.

A oni na powierzchni – myślał kot, podrzucając zręcznie pazurkiem bierkę po bierce. – Nikt nikogo nie może zobaczyć. Jakby dwie osoby grały w ciuciubabkę z zawiązanymi oczami.

– Powinniśmy być na miejscu najdalej za miesiąc – obiecywał Kapitan. – O ile nikt nikogo po drodze nie wytropi.

Obrał kurs na Pernambuko, o czym wiedzieli tylko oni dwaj i sternik, który poprzysiągł milczenie.

– Nie wytrzymam tu dłużej nawet tygodnia! – Misiek zaczął grzmocić ze zdenerwowania ogonem tak mocno, że najpierw bierki rozsypały się po całym stole, a potem łódź zachybotała się niebezpiecznie.

– Ciiiiiiiicho… – przeraził się Kapitan. – Nie wiesz, jak tu się głos niesie. Takie walenie, to jak strzały z armaty. A licho nie śpi…

Nawet jeśli spało, Misiek właśnie je obudził.

Rozległ się ogłuszający huk i łódź wyprysnęła na powierzchnię, stając oko w oko ze statkiem pod piracką banderą.

Piraci

Statek piracki był wspaniałym trójmasz-towcem o czarnych żaglach, a jego herszt miał jedno oko przewiązane czerwoną chustką, drewnianą nogę i potężny głos.

– Poddajcie się! – ryknął.

– A niby dlaczego? – zdenerwo-wał się Kapitan. – Na razie jest dwa do jednego. Dwa razy wy nas upo-lowaliście, raz my was. Do trzech razy sztuka.

– Nie mamy czasu! – wrzas-nął pirat, a jego kompani na znak poparcia postukali swoimi drewnia-nymi nogami o pokład. – Musimy złapać Czarownika! Nie będziemy do końca naszych dni niepełnosprawni!

Kot Misiek podfrunął i usiadł Kapitanowi na czapce.

— Jeśli puścicie ich wolno – miauknął najdonośniej, jak potrafił – w nagrodę przesiądę się na wasz statek. Znam Czarownika!

— To nawet widać… – skrzywił się herszt piratów. – Nieźle cię urządził! – popatrzył na załogę, a ta ryknęła śmiechem. – Pół kot, pół kaczka. Nie chcemy tu ptaka dziwaka!

Miśkowi zrobiło się przykro. Jeśli tak, niech sami załatwiają swoje sprawy – pomyślał i wzbił się w niebo. Leciał wyżej i wyżej. Słyszał świst kul, podli piraci próbowali go upolować, ale patrząc na świat tylko jednym okiem, nie umieli trafiać do celu.

— Koty chodzą swoimi drogami, a niektóre nawet latają… – miauczał na różne melodie, gdy już był poza ich zasięgiem.

Miał pełny brzuszek, niebo było bezchmurne, a łódź podwodna oraz piraci zostali daleko w tyle.

Pod spodem miał znowu tylko powietrze i bardzo dużo wody.

Gołąb pocztowy

Zerwał się wiatr. Misiek rozłożył szeroko łapki. Szybował, oszczędzając siły.

– Hej, hej!!! – usłyszał, ale zanim zobaczył, kto woła, gwałtowny podmuch wywiał go poza zasięg głosu. – Nie uciekaj! – dobiegło znów do kocich uszek. Przyhamował o najbliższą chmurę, a po chwili obok niego zatrzymał się gołąb. Miał czapkę listonosza i niewielki plecak.

– Apetycznie wygląda… – Misiek oblizał się łakomie. – Szkoda, że gołębie pocztowe są pod ochroną…

– Kot Misiek? – spytał ptak, oglądając go uważnie, a kiedy ten przytaknął, wyciągnął sporą płachtę. – Odcisk łapy, proszę.

Misiek na wszelki wypadek odcisnął wszystkie cztery.

– Jest dla ciebie poczta – powiedział gołąb, wręczając mu trzy koperty: żółtą, białą i niebieską. – Nieźle się za tobą nalatałem… – westchnął.

— Skąd będę mógł wysłać odpowiedzi? — Misiek rozejrzał się niespokojnie po bezmiarach wód. Czasami wystawały z nich skały, nie było jednak widać żadnych skrzynek na listy.

— Wkrótce sam zobaczysz — rzucił pospiesznie gołąb. — Lecę, mam kilka przesyłek ekspresowych — zagruchał i już go nie było.

Misiek rozerwał niecierpliwie żółtą kopertę.

Cześć kocie!

— czytał okrąglutkie pismo. —

Chciałem Ci powiedzieć, że nici są ostatnio
do niczego, bo znów urwałem się Kominiarzowi.
Czekam na Twój powrót, bo bez Ciebie
nigdy mnie nie znajdzie. Leżę na tym dachu
co zwykle, w pobliżu rynny.
Buziaczki flaczki
Guzik

List w białej kopercie był napisany najbrzydszym charakterem pisma, jaki Misiek do tej pory widział, łatwo się więc było domyślić, kto go napisał.

WIDOCZNIE PORWANIE JEST MI PRZYPISANE

PRZEZ LOS — pisała Top Modelka. —

TYM RAZEM PORWAŁO MNIE UFO.

PODOBNO NA ICH PLANECIE MAM TYTUŁ

MISS ŚWIATA W KIESZENI, WIĘC WSZYSTKO

SIĘ DOBRZE SKŁADA. NIE PODAŁEŚ MI NUMERU

SWOJEGO KONTA W BANKU...

Niebieska koperta zawierała niebieską pustą karteczkę.

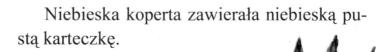

Pocztowa panienka

Misiek, ślizgając się na skrzydłach z wiatrem, bliżej i bliżej Pernambuko, myślał równie dużo o rudej koteczce jak o niebieskiej kartce. Kto ją wysłał i po co, jak i komu ma na nią odpowiedzieć. Jego rozważania przerywało jedynie burczenie w brzuszku.

— Przydałoby się jakieś międzylądowanie z przytulną restauracją — wzdychał, wypatrując na horyzoncie czegoś w tym rodzaju.

Poza jedzeniem miał również ochotę zwinąć się w kłębek, przy pierwszej jednak próbie zaczął gwałtownie spadać. Już miał ponownie rozłożyć łapki, gdy zobaczył wyspę.

Wylądował na rabatce kwiatków, obok niewielkiego domku z napisem „Poczta". W środku, przy okienku, siedziała dziewczyna z masą loczków i robiła szalik na drutach.

— Dzień dobry! — przywitał się Misiek. — Nie wie pani przypadkiem, od kogo mógłby być ten list? — I podsunął jej pod nos niebieską kopertę z niebieskim arkusikiem.

– Mógłby od każdego – powiedziała panienka i zaintonowała nieoczekiwanie cienkim głosem:

> – Od marynarza oraz kucharza,
> cyrkowca, grajka, słonia, pisarza,
> od ciotki, wuja, ojca i matki,
> sąsiada, no i – jasne! – sąsiadki...

– A od koteczki? – przerwał jej nieśmiało Misiek.
– Czemu nie? – wzruszyła ramionami. – Musiała być to, moim zdaniem, jakaś sympatyczna osoba.

Ciekawe, skąd jej to przyszło do głowy – pomyślał kot, ale nie zdążył zapytać, ponieważ oznajmiła szeptem:

– List jest pisany sympatycznym atramentem.

Niewidzialni

Wyspę przecinała jedna jedyna ulica. Po obu jej stronach rosły spore drzewa, a za nimi wznosiły się domki. Wszystkie miały spadziste dachy i wyglądały jak zbudowane z klocków przez jakiegoś wielkoluda. Kot Misiek kroczył z wysoko zadartym ogonem, rozglądając się ciekawie.

Widział drgające w oknach zasłonki, jakby ukryci w domowych pieleszach mieszkańcy odprowadzali go wzrokiem, jednak oprócz pocztowej panienki, nie spotkał żywego ducha.

Nie jestem tutaj turystą – przemknęło Miśkowi przez łebek z pewnym żalem. – Muszę się najeść i zdrzemnąć, to wszystko.

Postukał łapką w drzwi najbliższego domku, a one otworzyły się natychmiast.

– Dzień dobry! – miauknął grzecznie do niewidzialnych gospodarzy. – Czy mógłbym liczyć na troszkę mleka oraz coś na ząb?

– Zapraszamy, chodź do kuchni – usłyszał, ale nie zobaczył nikogo.

Na kamiennej podłodze pojawiły się za to pełne przysmaków miseczki.

Wylizał wszystko, co do okruszynki, i zamruczał z zadowoleniem. Chętnie teraz zwinąłby się w kłębek na czyichś kolanach, jednak żadnych kolan w pobliżu nie było.

– Chciałbym podziękować, ale nie wiem komu – miauknął.

– Nie ma za co – rozległ się śmiech.

To jakiś nawiedzony dom, pełen duchów… – Misiek poczuł się nieswojo. – Lepiej stąd pójdę.

– Wszyscy tutaj jesteśmy niewidzialni. To nie nasza wina… – usłyszał już w drzwiach.

– Nie wszyscy – potrząsnął łebkiem. – Na poczcie… – zaczął, ale męski głos przerwał mu w pół słowa:

– Ona jest z innej wyspy. To moja żona!

– I też nie może pana zobaczyć? – zdziwił się Misiek.

– Wcale jej to nie przeszkadza. Twierdzi nawet, że tak jest ciekawiej, bo może mnie sobie wyobrażać.

Kot Misiek popatrzył na niebieski liścik bez śladów liter i uśmiechnął się pod wąsem. A potem pożegnał się z gościnnym gospodarzem, wyszedł z domu i ułożył się w kłębek pod drzewem.

To najsympatyczniejszy liścik, jaki dostałem – myślał, czytając go po swojemu, za każdym razem inaczej.

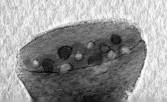

Krem po opalaniu

Kuzyn wraz z resztą załogi siedział w szufladzie kredensu. Otwierała się lub zamykała z trzaskiem, zależnie od ruchu fal i siły wiatru.

Od czasu do czasu odwiedzał ich Czarownik.

– To dla waszego bezpieczeństwa – tłumaczył, kiedy narzekali na brak przestrzeni życiowej. – Jeszcze wpadniecie do jakiejś dziury i jak was wtedy znajdę?

– Mógłbyś spróbować przypomnieć sobie zaklęcia, zamiast opalać się na burcie. I tak już skóra łuszczy ci się na nosie! – przygadał mu Kapitan.

Czarownik popatrzył w lustro, mamrocząc jakieś słowa bez ładu i składu, a potem zaczął piszczeć i skakać na jednej nodze.

– Wygląda jakby ten tego… – powiedział znacząco Kuzyn, malując kółko na czole, w chwili gdy statek przechylił się i szuflada zasunęła się gwałtownie.

Siedząc w ciemnościach, słyszeli coraz głośniejsze piski i przytupywania Czarownika.

– Ojej, ojej, a kysz, do budy, ojej, a skąd się to paskudztwo wzięło…

Czarownik próbował wleźć na stołek. Podłoga ruszała się od myszy.

– Chciałem wyczarować krem po opalaniu, ale coś mi się pokręciło... – tłumaczył oniemiałej z przerażenia załodze.

Szuflada znów się wysunęła, a myszy wspinały się już na kredens.

– Gdzie jesteś, kocie Miśku?! – wykrzyknął Kuzyn. Był przekonany, że w tej sytuacji jego obecność niezwykle by się im przydała.

Może uda mi się go ściągnąć – pomyślał Czarownik i użył jednego z dwóch zaklęć, jakie pamiętał bezbłędnie.

– Pali się czy co? – westchnęła jego siostra, odrywając się od komputera, sięgnęła po miotłę, stojącą w pobliżu i wyleciała przez okno.

Czerwony list

Zdecydowanie pewniej czuję się na ziemi – myślał Misiek, ostrząc pazurki o drzewo. Kupił na poczcie trzy koperty wraz z papierem listowym: czerwonym, zielonym i fiołkowym.

DROGI GUZIKU! – wyskrobał pazurkiem na zielonym. –
Wrócę najszybciej, jak mi się uda. Tu, gdzie właśnie jestem, wszyscy są niewidzialni, guziki też, więc nie wiem, co się dzieje z tymi zagubionymi.
To na pocieszenie. Całuski i kluski

MISIEK

Top Modelce musiał się przyznać, a zrobił to na kolorze fiołkowym, że jak do tej pory nie miał konta w banku, ale w razie czego chętnie przyjmie dwa bilety powrotne z Pernambuko.

Dużo szczęścia na nowej drodze życia.

– dopisał jeszcze, a potem zadumał się nad arkusikiem czerwonym.

Układał na nim coraz to nowe odpowiedzi na trzeci list, napisany sympatycznym atramentem.

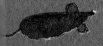

A potem poszedł na pocztę.

– „Top Modelka. UFO", „Guzik przy rynnie" – czytała loczkowata panienka, wybierając znaczki. – A ten list? – Obejrzała czerwony, a Misiek zaczerwienił się po czubeczki wąsów. – Rozumiem… – uśmiechnęła się. – Też bym chciała taki dostać.

Pomogła jeszcze Miśkowi przylepić obluzowane pióra i kot wzbił się w powietrze. Po chwili wyspa zniknęła.

Niebo było teraz gęsto zasnute chmurami, kot prawie szorował po nich łebkiem i każdy włos jego sierści był ciężki od wilgoci. Nagle coś obok niego świsnęło i dostrzegł panią, siedzącą na miotle.

– Wsiadaj! – zaproponowała, więc wczepił się pazurkami w sterczące ostro witki.

I polecieli.

Myszy

Zanim pierwsza z myszek wspięła się na wysokość szuflady, miotła z siostrą Czarownika i kotem Miśkiem wylądowała
szczęśliwie na pokładzie statku.

Misiek rozglądał się niespokojnie, nie widząc śladu załogi.

– Chodźcie tutaj! – usłyszeli z dolnego pokładu i spuścili
się szybko po krętych schodkach.

Ale jedzenia – pomyślał Misiek, ruszając za jedną z myszy.
Pozostałe rozbiegły się z piskiem.

Zaspokoiwszy głód, Misiek przywitał się z Czarownikiem,
dopiero po chwili odkrywając maleńką załogę.

– Strasznie się skurczyliście... – pokręcił w zdumieniu łebkiem.

– To ja ich skurczyłem – przyznał skruszony Czarownik. – Jak znajdziemy *Księgę Czarów*, wszystko wróci do normy.

– Wracam – oznajmiła jego siostra. – Przerwałeś mi pracę w pół zdania. Nawet nie zamknęłam komputera.

Z kątów znów powyłaziły myszy.

Czarownik szeptał coś siostrze na ucho. Nie miała zadowolonej miny, ale pokiwała głową, a potem sięgnęła po miotłę.

– On tu zostaje – oznajmiła głośno, wskazując na Miśka. – Mogę stąd kogoś zabrać, jeśli są chętni...

Nie trzeba tego było myszkom dwa razy powtarzać.

– Uciekło ci jedzenie – pisnął z szuflady Kuzyn, kiedy po miotle nie było już śladu.

– Lubię urozmaicony jadłospis. – Kot potrząsnął łebkiem, a potem pobiegł posiedzieć w bocianim gnieździe. Czuł przez futerko, że Pernambuko jest już blisko...

61

Na lądzie

Do brzegu Pernambuko przybili o zmierzchu, kiedy ruch już zamierał, a wszystkie kolory zlewały się w jeden.

O tej porze niełatwo mi będzie znaleźć koteczkę... – Misiek aż przebierał łapkami z niecierpliwości, aby zejść na ląd.

– Na twoim miejscu wyskubałbym resztki pierza – mądrzył się Kuzyn. – Możesz ją wystraszyć niechlujnym wyglądem.

Siedział teraz wraz z resztą załogi w pudle na kapelusze, przygotowany w ten sposób do drogi. Czarownik zamierzał zabrać ich ze sobą.

Może ma rację, a może nie ma – westchnął Misiek. Jego skrzydła nie były już co prawda w najlepszym stanie, ale wciąż dzięki nim mógł latać. – Nie wiadomo, czy ta umiejętność nie będzie mi jeszcze potrzebna... Jeśli koteczka mnie pokocha, odrobina piór tu i ówdzie na pewno nie będzie jej przeszkadzać.

Na wybrzeżu odłączył się od reszty wycieczki, rzucając na pożegnanie:

– Koty chodzą własnymi drogami...

– Gdybyś zobaczył gdzieś moją *Księgę*… – Goniły go jeszcze słowa Czarownika, zanim w krętych uliczkach nie pogubił się jego głos.

Misiek biegł przed siebie, wdychając głęboko obce zapachy. Jeden z nich połaskotał go przyjemnie w nos, a więc postarał się wytropić jego źródło.

To musi być gdzieś tutaj – zwolnił na niewielkim placyku.

„Rybna restauracja"

– przeczytał. Kilka stolików stało pod gołym niebem.

– Nowy! – usłyszał ostrzegawcze miauknięcie i naprzeciwko ujrzał spore stadko kotów.

Wszystkie były nastroszone, furczały i prychały nieprzyjaźnie, broniąc dostępu do restauracji.

Muna

    – To nasz rewir! – miauknął ostrze-
gawczo zakurzony albinos. Wyglądał
na przywódcę.

    – Och, w porządku. Jestem tu tylko
przejazdem… – Misiek przyglądał się
kotom.

    Były czarne i białe, w czarno-bia-
łe łatki, szare i pręgowane. Gdzieś
z tyłu mignęło rude futerko. Misiek
zamachał łapkami, wzbijając się na
tyle wysoko, aby dojrzeć jego właści-
cielkę. Była mała, chuda i miała wąski
złośliwy pyszczek.

    Rozczarowany Misiek opadł na
najbliższy stolik. Leżała na nim duża
księga.

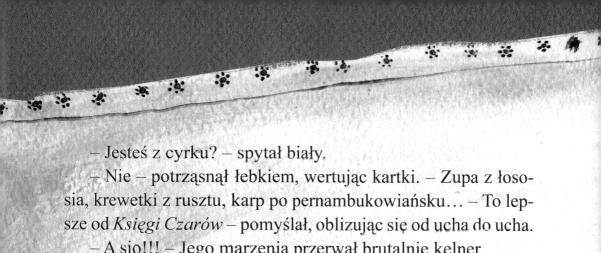

– Jesteś z cyrku? – spytał biały.

– Nie – potrząsnął łebkiem, wertując kartki. – Zupa z łososia, krewetki z rusztu, karp po pernambukowiańsku… – To lepsze od *Księgi Czarów* – pomyślał, oblizując się od ucha do ucha.

– A sio!!! – Jego marzenia przerwał brutalnie kelner.

Misiek dał nura w ciemną uliczkę. Sadził długimi susami, na oślep, bo koteczka mogła być wszędzie albo nigdzie. Mimo że tej drugiej możliwości nie chciał nawet do siebie dopuścić, wisiała gdzieś w nocnym powietrzu…

Zaprzeczał jej niebieski list, który postanowił odczytać na całkiem nowy sposób, dodając sobie odwagi.

Wskoczył na murek i rozłożył przed sobą niewielki arkusik.

– Cześć… – usłyszał miauknięcie i po chwili przysiadła obok czarna jak sadza koteczka o jedwabistej sierści. – Mam na imię Muna, a ty?

Misiek przedstawił się, dodając spiesznie, że szuka pewnej rudej.

– Jest ode mnie ładniejsza? – prychnęła Muna, prężąc grzbiet.

– Chyba nie… – potrząsnął łebkiem Misiek – ale jest moja.

Nawet jeśli jeszcze o tym nie wie – pomyślał, machając Munie na pożegnanie.

Księgarnia

Czarownik przylepił nos do szyby księgarni. Na samym środku wystawy leżała… jego *Księga Czarów*! Żeby tylko jedna! Leżało ich z dziesięć, co najmniej! Każda identyczna.

– O kurczę, o kurczę… – powtarzał, waląc rytmicznie nosem w szybę.

– Jakby miał taki szpiczasty nos jak Pinokio, już by w niej wykuł dziurę… – zrzędził Kapitan, wyglądając z pudełka.

– Otwierają dopiero jutro. Musimy poczekać do rana… – Kuzyn spróbował odwrócić uwagę Czarownika od książek, ten jednak zachowywał się jak w transie. I mimo że jego nos nie był ostry, szkło – może pod wpływem temperatury – któż to wie, w miejscu gdzie dźgał je uparcie, wypuczyło się, uruchamiając alarm.

Przeraźliwy dźwięk syreny ściągnął trzy wozy policyjne.

– Dokumenty, proszę! – wykrzyknęło pięciu policjantów jednocześnie, a Czarownik wzruszył ramionami, otwierając pudełko na kapelusze. – O kurczę! – wykrzyknęli tym razem oni, patrząc na maleńką załogę. – Prawdziwe krasnoludki!

— Wypraszam sobie – oburzył się Kapitan. – Jestem kapitanem żeglugi, wbrew pozorom, wielkiej. Dajcie mu książkę z wystawy, to nas odczaruje.

— Możecie chyba wytrzymać do rana?! – spytali policjanci, zerkając niespokojnie to na marynarzy, to na Czarownika. – To on was tak urządził?

— Bardzo dobrze zmniejsza. Lepiej uważajcie – wtrącił się Kuzyn, a policjanci schowali się natychmiast za samochody, jakby migające na dachach koguty mogły uchronić ich od złego.

A potem, po krótkiej naradzie, zdecydowali się oderwać od kolacji właściciela księgarni.

Uczta

Im dłużej krążył Misiek uliczkami Pernambuko, tym większe ogarniało go zwątpienie. Muszę porozmawiać poważnie z Kuzynem – zdecydował, słysząc w oddali gwar głosów.

– To jest groch z kapustą! – wrzeszczał Czarownik, wymachując *Księgami Czarów*. – Wszystko poplątane! To widać gołym okiem. Nawet nie będę tego sprawdzał, żeby wam nie napytać biedy! Większy porządek mam w swojej głowie. Kto to wydrukował?!

– Zaraz zadzwonię do wydawcy… – księgarz sięgnął po telefon.

Policjanci stali w pogotowiu, niepewni, kogo mają aresztować i właściwie dlaczego.

– Wydawca nie chce odejść od kolacji, ale zaprasza pana do towarzystwa. Twierdzi, że ma mnóstwo pysznych rzeczy do jedzenia – powiedział księgarz do Czarownika, odkładając słuchawkę.

– W takim razie my też jedziemy… – zdecydowali policjanci, a kot Misiek dołączył do wycieczki cichcem, nie robiąc zbyt wiele zamieszania wokół własnej osoby.

Wydawca biesiadował na werandzie. Był wysoki i chudy, a obok niego siedziała równie koścista dziewczynka z poobijanymi kolanami. Na stole leżało w miseczce kilka rzodkiewek, a na półmisku trzy parówki.

Policjanci zasalutowali na powitanie oraz pożegnanie i odjechali z wyciem syren, a Misiek zwędził pospiesznie jedną parówkę i uciekł w krzaki.

– Chętnie zastosowałbym jakieś zaklęcie z rozdziału *Stoliczku, nakryj się* – powiedział Czarownik, wwiercając gniewne spojrzenie w wydawcę. Stukał jednocześnie palcem w książkę, którą pożyczył sobie z księgarni.

– Ależ bardzo proszę… Czym chata bogata… Apetyty jednak bywają różne. – Wydawca pokroił rzodkiewkę na cztery części.

– Gdzie jest moja *Księga*?! – ryknął Czarownik, a wydawca spojrzał na swoją wnuczkę i chrząknął znacząco.

Szkło powiększające

Księga była w strzępach. Czarownik ślęczał nad nią ze szkłem powiększającym i przezroczystym przylepcem, notując coś od czasu do czasu.

– Większość czarów jest tak wyczytana, że nie ma po nich śladu – oznajmił. – Macie szczęście, że pamiętam jeszcze jedno zaklęcie! – Skupił się w sobie i wyczytane strony pokryły się jego bazgrołami. Potem zawisł nad pudełkiem, wbijając wzrok w oczekującą w milczeniu załogę. Mamrocząc pod nosem zaklęcia, powiększał ich stopniowo przez szkło powiększające. Od czasu do czasu wykonywał dla rozgrzewki przysiady i wydawał indiańskie okrzyki.

– Łupie mnie w kościach – oznajmił Kuzyn, a Czarownik uśmiechnął się, odsuwając na bezpieczną odległość.

Wiedział, co robi, bowiem po chwili w pokoju wnuczki zrobił się taki ścisk, że nie było gdzie szpilki wetknąć.

71

– Udało się!!! – cieszyli się marynarze, poklepując Czarownika po plecach, zupełnie jakby to nie on był przyczyną
ich uprzedniego zmniejszenia, a potem pobiegli uczcić powrót do normalnych rozmiarów do najbliższej tancbudy.

– Idziesz z nami? – zagadnął Miśka Kuzyn. – Koteczki
też lubią tańczyć.

– Jeśli ją zobaczysz, poproś, żeby tu wpadła – zdecydował Misiek. Jakoś nie było mu do tańca, poza tym kompletnie nie miał czego czcić. Po raz pierwszy przeleciała mu
przez łebek przerażająca myśl, że może jego koteczki tak naprawdę nie ma, a niebieski liścik napisała jakaś inna sympatyczna osoba.

Czarownik rozmawiał tymczasem z wnuczką wydawcy. To ona znalazła jego księgę i namówiła dziadka na jej
druk. Ponieważ połowy nie mogli jednak odczytać, a drugiej
połowy zrozumieć, ich *Księga Czarów* wyglądała zupełnie
inaczej…

– Tak czy owak, czeka na pana honorarium autor-
skie – powiedział wydawca, wyjmując z sejfu spory stosik
banknotów.

– Dziękuję bardzo – potrząsnął głową Czarownik – ale
proszę je przeznaczyć na słodycze dla wnuczki. Strasznie
chuda.

– Ja również lubię słodycze – zauważył wydawca, a Czarownik zgodził się, żeby też sobie podjadł na jego rachunek.

Powrót

Całą noc męczyły Miśka niespokojne sny. Zerwał się świtem, kiedy słońce dopiero podnosiło się leniwie, a trawa była mokra od rosy.

Z pokoju gościnnego dobiegało potężne chrapanie Czarownika, spał także wydawca i jego wnuczka.

Misiek kończył właśnie poranną toaletę, kiedy usłyszał w pobliżu łopot skrzydeł. Przyczaił się, gotów na zdobycie śniadania.

– Jestem pod ochroną! – przypomniał mu gołąb pocztowy, siadając na wszelki wypadek poza zasięgiem kociego skoku. – Powinienem dostać medal za narażanie życia na służbie! – dodał, wyjmując z plecaka dwa listy.

– Mam coś podpisać? – spytał Misiek, ale gołąb pospiesznie odleciał.

Kot otworzył drżącymi łapkami tęczową kopertę.

Ona tutaj jest. Siedzi za kominem. Ruda. Czarna plamka koło nosa. Złote oczy. Zabawiam ją, jak umiem, ale nie wiem, czy jej się nie znudzę.

Wracaj jak najszybciej!

GUZIK

Misiek załopotał resztkami piór, gotów wyruszyć natychmiast, kiedy zauważył drugi list. Zwykła biała koperta, a na niej napis:

KOT MISIEK
PERNAMBUKO
do łap własnych

W środku znalazł bilet lotniczy i karteczkę:

ZOSTAŁAM WICEMISS, A WIĘC STAĆ MNIE TYLKO NA JEDEN BILET, W DODATKU KLASĘ EKONOMICZNĄ. ŻYCZĘ WAM SZCZĘŚCIA.

Top Modelka

Na lotnisku właśnie zapowiadali jego samolot, ledwie zdążył pozdrowić czarnulkę – narzeczoną Kapitana łodzi podwodnej, i już przypinał się pasem, wyglądając z ciekawością za okno. A kiedy znaleźli się w chmurach, zaczął gubić piórka, co godzina jedno, bo był to bardzo długi lot.

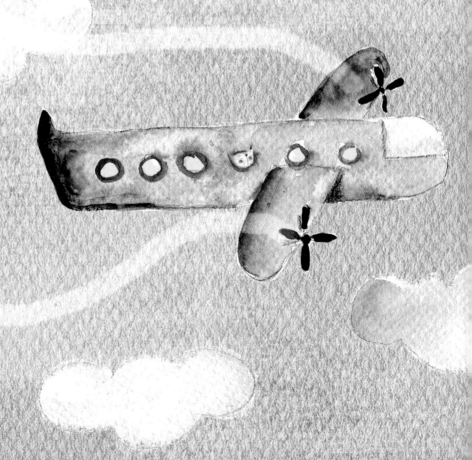

Wszystko dobre, co się dobrze kończy

Była dokładnie taka jak ze snu. Obchodziła kominy z wysoko wyprężonym ogonem. Obok jednego z nich Misiek zobaczył czerwoną kopertę i serce zabiło mu mocno.

– Uważaj! – upomniał koteczkę, ocierając się o jej futerko. – Obchodzenie kominów z lewej przynosi nieszczęście!

– Czekam tu na ciebie od wczoraj… – ziewnęła. – Strasznie się grzebałeś.

– Gdzie Kuzyn? – Na dachu nagle pojawił się Kominiarz.

– Poszedł tańczyć i dotąd nie wrócił – wyjaśnił Misiek. – Ale na pewno cię pozdrawia.

Zauważył obok rynny Guzik. Mrugał do niego porozumiewawczo wszystkimi czterema dziurkami.

Misiek poturlał go wprost pod nogi Kominiarza.

– Znów go znalazłeś! – roześmiał się Kominiarz.

– Taki guzik to prawdziwy skarb – powiedział Misiek z najgłębszym przekonaniem. – Gdyby nie on, byłbym pewnie wciąż w Pernambuko.

– Słucham?! – spytali Kominiarz i koteczka chórem, a Misiek postanowił im wszystko opowiedzieć. Od początku do końca.

W połowie opowieści wiatr przywiał ciężkie chmury i o dach zabębniły pierwsze krople deszczu.

– Skończysz kiedy indziej… – Tym razem to koteczka otarła się o jego futerko. – Biegnijmy szukać domu…

I tak się stało.

Spis treści